# Une chauve-souris chez Germina

## Violaine Fortin

*Illustrations de Jean-Pierre Beaulieu*

COLLECTION

SAUTE-MOUTON

ÉDITIONS
MICHEL
QUINTIN

**Données de catalogage avant publication (Canada)**

Fortin, Violaine

Une chauve-souris chez Germina

( Saute-mouton : 9 )

Pour les enfants de 6 ans.

ISBN 2-89435-144-5

I. Beaulieu, Jean-Pierre.   II. Titre.   III. Collection : Saute-mouton (Waterloo, Québec) : 9.

PS8561.O757C42 2000   jC843'.54   C00-941142-9
PS9561.O757C42 2000
PZ23.F67Ch 2000


*Révision linguistique :* Monique Herbeuval
*Conception graphique :* Standish Communications
*Infographie :* Tecni-Chrome

La publication de cet ouvrage a été réalisée grâce au soutien financier de la SODEC et du Conseil des Arts du Canada. De plus, les Éditions Michel Quintin bénéficient de l'aide financière du gouvernement du Canada par l'entremise du Programme d'aide au développement de l'industrie de l'édition (PADIÉ) pour leurs activités d'édition.

ISBN 2-89435-144-5
Dépôt légal - Bibliothèque nationale du Québec, 2000

© Copyright 2000
Éditions Michel Quintin
C.P. 340, Waterloo (Québec)
Canada J0E 2N0
Tél.:    (450) 539-3774
Téléc.: (450) 539-4905
Courriel: mquintin@sympatico.ca

1 2 3 4 5 6 7 8 9 0 H L N 3 2 1 0
Imprimé au Canada

# 1

# L'Halloween

J'adore l'Halloween ! C'est le seul jour de fête où l'on peut se déguiser en monstre dégoulinant et purulent. Plus on est dégoûtant, plus on reçoit de bonbons !

J'aime me déguiser de manière différente chaque année. Parmi mes costumes les plus célèbres, il y a la pieuvre gluante, le monstre poilu aux bigoudis et la poubelle débordante.

Cette année, je dois aussi costumer Ti-Pit, mon petit oiseau. C'est un grand défi.

Mon idée, ce serait d'avoir un costume commun :

— Qu'en penses-tu, Ti-Pit ? Je pourrais me déguiser en fleur et toi en papillon ?

— Bof, c'est quétaine !

— Et si j'étais un *sundae* et toi la cerise ?

— Vraiment, Germina, tu ne penses qu'à manger !

— En quoi veux-tu te déguiser, alors ?

— En chauve-souris vampire !!!

— Ouah ! Et moi, je serais quoi ?

— Ma victime étranglée ?

— Oh non, tu me donnes toujours les mauvais rôles.

— Germina, fais-moi plaisir, roucoule-t-il doucement dans mon cou.

— J'accepte pour la chauve-souris vampire, mais je te réserve une surprise…

Je m'enferme dans mon atelier pour confectionner mon super costume.

# 2

## C'est parti, mon kiki !

Le fameux soir venu, Ti-Pit est surexcité. Revêtu de son costume de chauve-souris vampire, il s'entraîne à voler au radar. Cachée dans ma chambre, j'ajoute une dernière touche à mon costume en carton.

Quand j'apparais déguisée, la surprise est totale. Ti-Pit

ouvre de grands yeux, pousse un cri et tombe à la renverse.

Mon costume de château hanté imite parfaitement le repaire de la célèbre chauve-souris vampire. Ti-Pit s'installe aussitôt sur mon chapeau transformé en tour.

— Germina, tu es vraiment super chouette!

Dans la rue, tout le monde nous regarde. On ne peut rêver mieux comme effet. Ti-Pit imite le cri de la chauve-souris tandis que j'émets des grincements de toutes sortes.

# 3

# Coup de foudre

$C$e soir, c'est l'Halloween, la fête bat son plein. Les maisons décorées donnent une apparence fantomatique au village. Le vent souffle des tourbillons de feuilles mortes. Le ciel est zébré d'éclairs. Le tonnerre gronde. Pour célébrer la fête des morts, l'ambiance est parfaite.

Tout à coup : BAOUMMM ! Le tonnerre éclate; la foudre est tombée tout près. Sous le choc, je glisse et me retrouve sur les fesses, dans une flaque d'eau. C'est alors que, d'une branche au-dessus de ma tête, me parvient une petite lamentation. Et paf ! Quelque chose me tombe sur la tête.

— Ti-Pit ?
Silence total.

— Ti-Pit ? Qu'est-ce qui se passe ?

Je n'entends qu'un léger gazouillis, un roucoulement de rien du tout...

J'imagine Ti-Pit traumatisé, les plumes arrachées et les yeux sortis de la tête.

Inquiète, j'enlève mon chapeau. Et je découvre mon Ti-Pit faisant les yeux doux à une... minuscule chauve-souris. Celle-ci sourit timidement en ayant soin de ne pas laisser dépasser ses dents.

— Aaaaaaaaaah! Une vraie chauve-souris. Ouach! Ti-Pit, tu es tombé sur la tête?

— Non, Germina, c'est un coup de foudre.

— N'exagère pas, Ti-Pit, si la foudre était tombée sur nous, nous ne serions plus là!

— Si je ne suis pas mort, c'est que je suis déjà avec les anges...

— Tu es devenu complètement fou! La preuve, tu fais la cour à une chauve-souris!

— Chut ! Germina, ne parle pas si fort, tu effrayes mon amie !

# 4

# Le lendemain de la veille

*H*abituellement, quand je me lève, Ti-Pit est réveillé depuis belle lurette. Et il me turlutte une chanson pour me mettre de bonne humeur. Mais aujourd'hui, rien... pas un son.

La cabane de Ti-Pit est encore fermée. Je m'en approche doucement; je distingue des bruits de petits ricanements mêlés des chuchotements... Il n'est pas seul ?

— Ti-Pit, viens ici tout de suite !

Ti-Pit apparaît à la fenêtre, les plumes ébouriffées, les yeux dans le même trou et le sourire au bec.

— Oui, Germina ?

— Tout va bien, tu n'as besoin de rien ?

— Non, merci. Ah, si... pour-
rais-tu nous apporter le petit-
déjeuner au lit ? Chouchoune et
moi serions très contents !

Et il repart. J'en reste bouche
bée. Je suis estomaquée,
INSULTÉE !

Je m'éloigne en rouspétant :
« Chouchoune ? Quel nom ridicule !
Non, mais ! Qu'il ne s'imagine pas

que je vais servir le petit-déjeuner au lit à une horrible chauve-souris ! »

Je ne comprends plus rien. Hier encore, Ti-Pit et moi vivions le bonheur parfait. Et voilà qu'en une seule nuit, mon univers est complètement bouleversé. Cette espèce d'affreuse « Chouchoune » vient tout chambouler.

# 5

# Le souper aux chandelles

Ti-Pit et sa Chouchoune sont restés enfermés toute la journée. J'ai tout fait pour attirer leur attention. J'ai passé l'aspirateur sur la cabane de Ti-Pit; j'ai même dansé des claquettes en chantant de l'opéra. Ils font comme si je n'existais pas.

Le soir, je m'assois sur le balcon. Je suis bien décidée à

ne préparer le souper au lit pour
personne. Il va bien falloir qu'ils
sortent de là, un jour. Au moins
pour faire pipi. Soudain...

— Bonsoir, Germina ! hurle
Ti-Pit, en faisant un vol plané.

— Bonsoir, madame Germina !
chuchote Chouchoune, qui devient
rouge tomate.

— Je commençais à me de-
mander si vous étiez malades !

— Mais non, Germina! lance Ti-Pit. Notre seule maladie, c'est l'amour!

— Alors là, j'aurai tout entendu! Vous êtes amoureux??? Mais c'est impossible! Une chauve-souris et un oiseau! Ça ne s'est jamais vu!

Tandis que je boude, Chouchoune s'envole dans le ciel du soir. Ti-Pit est vraiment impressionné

par ses virevoltes fulgurantes.
Grâce à son radar, elle capture
rapidement assez de bibites
pour concocter leur souper.
Pendant ce temps, Ti-Pit met la
table. Chandelles et fleurs sont
à l'honneur. C'est un roman-
tique, mon Ti-Pit.

Chouchoune me demande :

— Voulez-vous manger avec nous, madame Germina ?

— Jamais de la vie, c'est dégueulasse vos bestioles !

Ti-Pit regarde son assiette avec un drôle d'air.

— J'avoue que je préfère de beaucoup les graines à ces insectes.

Devant l'air déçu de Chouchoune,
il se reprend :

— Je veux bien y goûter.
Préparé par toi, c'est sûrement
délicieux.

# 6

# Le nid d'amour

— Il ne manquait plus que ça! Tu déménages maintenant?

— N'exagère pas, Germina. Je construis ma maison sur le balcon, c'est tout! Nous avons besoin d'un peu d'intimité, Chouchoune et moi.

— Chouchoune et moi! Ce sont les seuls mots que tu as dans le bec. Qu'est-ce qu'elle a de plus que moi, à part ses grandes dents?

Ti-Pit ouvre de grands yeux et rit très fort.

— Germina, je n'en crois pas mes oreilles, tu es jalouse?

— Moi? Jalouse! Jamais de la vie et d'ailleurs...

Sans me laisser finir, Ti-Pit se blottit dans mon cou et murmure:

— Germina, tu es irremplaçable. Tu es la personne la moins humaine que je connaisse.

Sur ces mots, Ti-Pit part ramasser des brindilles pour la construction du nid d'amour. Chouchoune le regarde, ébahie.

— Allez, Chouchoune, aide-moi !

— Mais, Ti-Pit chéri, je ne sais pas quoi faire.

— Comment ça? Tu n'as jamais construit de nid?

— Non. Nous, les chauve-souris, nous n'avons pas besoin de lit ni de maison pour dormir et élever nos enfants. Une simple grotte ou un coin noir nous suffit.

— Une grotte? Pouah! Il doit faire noir là-dedans et ça sent sûrement mauvais!

— Ti-Pit! On voit bien que tu n'es jamais allé dans une grotte pour dire ça. De toute façon, je suis fatiguée et je me sens incapable de dormir dans ton tas de foin!

Faute de grotte, la chauve-souris s'envole et disparaît dans le grenier. Frustré, Ti-Pit va bouder dans sa cabane. Je le rejoins.

— Ti-Pit! Je peux t'aider?

— Laisse-moi donc tranquille, Germina. Tu es sans doute contente que je me dispute avec Chouchoune.

— Non, Ti-Pit, je suis malheureuse quand tu as de la peine. Mais je te connais, tu vas sûrement trouver le moyen de te réconcilier avec elle.

Ti-Pit sort la tête de sa cabane et me dit, les yeux pleins d'eau:

— Tu es vraiment super chouette, Germina!

# 7

# Le jour et la nuit

Les jours s'écoulent doucement. Les nuits aussi. Je
m'habitue tranquillement à
Chouchoune. Ti-Pit et elle sont
tellement heureux que leur
bonheur rejaillit un peu sur moi.

Toutefois, je suis inquiète.
Ti-Pit et Chouchoune sont épui-
sés. Car, pour faire plaisir à
Chouchoune, Ti-Pit passe la nu

à la regarder voler dans le ciel à toute allure.

Puis, le matin venu, c'est au tour de Chouchoune de faire des efforts. Elle essaie de s'habituer à la lumière du jour. La pauvre, elle a tellement mal aux yeux que je lui ai fabriqué de petites lunettes de soleil. Ti-Pit lui apprend même à chanter, mais Chouchoune échoue lamentablement, aucun son harmonieux ne sortant de sa petite gorge.

Malgré tout leur amour, la tension monte. Rendus irritables par le manque de sommeil, ils n'acceptent plus le moindre compromis.

Un bon matin, alors que je prépare de délicieuses crêpes au beurre d'arachide, la chicane éclate.

— Tu ne veux jamais voler avec moi! se plaint Chouchoune.

— Je ne vois rien dans le noir et toi, tu cognes des clous pendant tes leçons de chant!

— C'est que je meurs de fatigue depuis que j'essaie de dormir la tête en haut.

— Et tu as mauvaise haleine!!!

— Toi, tu pues des pieds!!!

— ÇA SUFFIT! Ti-Pit, tu vas t'excuser. Tes mots ont certainement dépassé ta pensée. Et toi, Chouchoune, tu devrais réfléchir à ton attitude... allez, chacun dans son coin!

Surpris de mon intervention, Ti-Pit et Chouchoune obéissent sans broncher. Un instant plus

tard, je les entends ronfler. Les pauvres petits étaient vraiment à bout.

* * * *

Maintenant, Ti-Pit et Chouchoune sont réconciliés. Pour éviter la chicane, ils font chambre à part. Ti-Pit se couche un peu plus tard pour jouer avec Chouchoune. Et Chouchoune reste debout plus longtemps pour l'écouter chanter. Chouchoune, qui est vraiment jolie pour une chauve-souris, s'est installée dans mon grenier.

Nous sommes devenues de bonnes amies. Parfois, Ti-Pit est presque jaloux de nous entendre rire comme des folles. Finalement, tout le monde est content d'être resté naturel. Et il y a encore plus d'amour qu'avant dans ma maison.

# Table des matières

## La collection SAUTE-MOUTON

Achevé d'imprimer
en septembre 2000
sur les presses de
Imprimerie H.L.N.

*Imprimé au Canada – Printed in Canada*